ÉRIC HÉRENGUEL

JULEN RIBAS

KERUBIM

TOME 2

ÉRIC HÉRENGUEL

JULEN RIBAS

ankama

Je tiens à remercier tout particulièrement Élise et Éric pour avoir facilité mon travail.
Et aussi ma famille : maman, papa et ma compagne Olatz, pour votre soutien permanent.

Julen Ribas

Première édition
Dépôt légal : septembre 2013
ISBN : 978-2-35910-445-5
Imprimé par POLLINA (France) - L65738

Scénario : Éric Hérenguel
Dessin et couleur : Julen Ribas
D'après un univers de Tot
Graphisme : Franho
Traduction : María del Sol Fernández Velasco,
Anna Asperó Masachs

ankama

KRR... KRR...
JE SUIS LE ROI DES OMBRES. L'OBSCURITÉ EST NOTRE DEMEURE, ELLE NOUS PROTÈGE DU KRR... MONDE. NOS YEUX SE SONT HABITUÉS À LA NUIT. L'ODEUR FÉTIDE DE LA PUTRÉFACTION KRR... QUI VOUS FAIT TANT HORREUR EST POUR NOUS LE PLUS DOUX DES PARFUMS.

ALORS ?
DITES-MOI, JEUNE OUGINAK KRR... QU'ESPÉRIEZ-VOUS EN VENANT ICI ? ME TUER CERTAINEMENT ?

JE NE SUIS PAS UN ASSASSIN. PAS COMME VOUS !

BIEN ENTENDU... NOUS AUTRES LES RATS NE POUVONS ESPÉRER MEILLEUR JUGEMENT DE VOTRE PART KRRR... VOUS VOUS CONSIDÉREZ KRR... TELLEMENT AU-DESSUS DE NOUS.

VOUS ANÉANTISSEZ LES RÉCOLTES DU ROYAUME DE LOMBROCORP. LA FAMINE RÈGNE EN MAÎTRE ET VOUS EN ÊTES LA CAUSE ! ET JE DEVRAIS PLAINDRE VOTRE CONDITION ? PFF...

DES PRÉJUGÉS KRR... VOILÀ CE QUI CARACTÉRISE LES HABITANTS DE LA SURFACE.

LES BAREBACKS, NOTRE COMMANDO DE SURVEILLANCE DES JONCTIONS AVEC LE MONDE DU DESSUS, SONT FORMELS : CETTE FILLE, ACCOMPAGNÉE DE SACRIEURS, A TENTÉ DE DÉTRUIRE LES GALERIES D'ACCÈS AU MONDE DU DESSUS.

ET CE N'EST QU'UN DÉBUT ! LE ROI DE LOMBROCORP FAIT, EN CE MOMENT MÊME, VENIR DES ECAFLIPS QUI VIENDRONT À BOUT DE VOTRE ARMÉE !

OH, VOYONS PETITE... KRR... IL NE FAUT JAMAIS DÉVOILER SES PLANS À L'ENNEMI. C'EST SÛREMENT POUR CELA QUE VOUS N'ÊTES QU'UNE VULGAIRE KRR... AVENTURIÈRE ET QUE, MOI, JE SUIS UN ROI.

POUAH, LE ROI DES POUBELLES. QUELLE BLAGUE !

RESPECTER SES ENNEMIS KRR... UNE AUTRE LEÇON QUE VOUS IGNOREZ !

OUTCH !

DEPUIS L'ORIGINE DU MONDE DES DOUZE, LES RATS SERVENT LE PEUPLE DU HAUT. NOUS RÉGULONS CE QUE VOUS APPELEZ VOS DÉCHETS. KRRR... NOUS AVONS FAIT UNE RICHESSE DE CE QUE VOUS MÉPRISEZ.

JE RÈGNE SUR UNE ARMÉE SOUTERRAINE KRR... QUI NE CONNAÎT PAS DE FRONTIÈRES. DES RATS ALBINOS CAPABLES DE PERCER LA NOIRCEUR D'UNE NUIT SANS LUNE KRRR... AUX RATS SIAMOIS EXPERTS EN ARMES BLANCHES OU ENCORE AUX NOMBREUX CAPÉS KRRR... QUI FORMENT LES BATAILLONS DE MA GARDE... TOUS SONT PRÊTS À MOURIR POUR NOTRE CAUSE. KRR...

ALORS OUI, KRRR... DE TEMPS EN TEMPS, NOUS DÉVASTONS QUELQUES RÉCOLTES KRR... QUELQUES GARDE-MANGER. MAIS CE N'EST RIEN COMPARÉ AU GÂCHIS QUOTIDIEN KRRR... QUE VOTRE PEUPLE PRODUIT !

QUAND IL NE VOUS RESTE QUE L'ESPOIR DE SURVIVRE, ALORS LA MORT VOUS APPARTIENT CAR ELLE NE VOUS FAIT PLUS PEUR. KRR...

ET VOUS ? JUSQU'OÙ ÊTES-VOUS PRÊTE À ALLER POUR SURVIVRE ?

-

PAS LOIN, APPAREMMENT.

PEUT-ÊTRE QU'ON EST DES VAURIENS POUR LUI.

VOUS LUI AVEZ PIQUÉ SON PARCHEMIN, JE VOUS LE RAPPELLE.

JE LE SENS PAS CE MAGE... QUEL MANQUE DE CLASSE DE NOUS LAISSER COMME ÇA, À LA MERCI DU MOINDRE VAURIEN !

BIEN, NOUS ENTRONS DANS LE ROYAUME DE LOMBROCORP.

LE ROI ABRAZIF N'APPRÉCIERA PAS QU'ON N'AIT PAS TROUVÉ LE MOYEN D'EMPÊCHER L'INVASION DES RATS.

OUI, MAIS EN MÊME TEMPS, ON PEUT OUBLIER DE LUI DIRE QU'ON NE SAIT PAS COMMENT RÉGLER CE PROBLÈME...

JE NE SUIS PAS LÀ POUR AIDER ABRAZIF MAIS POUR SAUVER LOU.

HALTE-LÀ !

JE SUIS AMBROISE DÉFOURAILLE, CAPITAINE DE LA GARDE DE LOMBROCORP.

N'OPPOSEZ AUCUNE RÉSISTANCE ET TOUT SE PASSERA BIEN, C'EST À VOUS DE CHOISIR. MAIS SI L'ENVIE DE MOURIR VOUS EFFLEURAIT, JE SERAIS VOTRE MORT !

WOOH, C'EST PAS TRÈS JOYEUX PAR ICI !

QUE VOULEZ-VOUS, LA GUERRE CONTRE SPHINCTER CELL N'A QUE TROP DURÉ. IL EST TEMPS D'EN FINIR AVEC CE MONSTRE.

LA FAIM DEVIENDRA NOTRE ENNEMIE INTIME SI NOUS N'ARRIVONS PAS À LE BATTRE RAPIDEMENT.

ELLE EST À MOI !

DANS TES RÊVES !

PAF !

OUTCH !

SCHLLING

FLMP   FLMP

LES TEMPS SONT DURS, MES AMIS... APPRENEZ À PARTAGER. LA MOITIÉ DE QUELQUE CHOSE, C'EST MIEUX QUE RIEN !

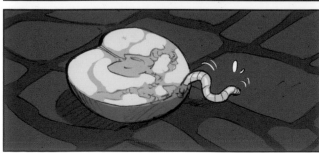

L'HOSPITALITÉ N'EST PAS VOTRE FORT.

VOYEZ CELA COMME UNE PROTECTION.

PROTÉGER DE QUOI ?

LA FAIM POURRAIT POUSSER CERTAINS HABITANTS À MANGER DE L'ECAFLIP, PAR EXEMPLE !

JE SUIS PAS UN ECAFLIP, MOI !

DEMAIN MATIN, LE ROI ABRAZIF S'ENTRETIENDRA AVEC VOUS.

ENTREZ LÀ-DEDANS.

OH, ÇA VA... POUSSEZ PAS !

ALORS ? LA PETITE BÊTE A FINI PAR GRIGNOTER VOS LIENS ?

VOUS ?

EH OUI ! TOUS LES CHEMINS MÈNENT AUX ENNUIS QUAND ON N'Y PREND PAS GARDE.

LÀ POUR PRENDRE DES GARDES, ON S'EN EST PRIS... JUSQU'À LA GARDE !

ON Y EST... RESTEZ VIGILANTS ET PRUDENTS. ON OBSERVE ET C'EST TOUT.

AVANT, ON PROTÉGEAIT LE TRÉSOR ROYAL, MAINTENANT C'EST LA BOUFFE QU'ON DOIT PROTÉGER !

BAH J'PRÉFÈRE ÇA, MOI...

PARCE QU'AU MOINS ON PEUT GOÛTER CE QUE L'ON SUR-VEILLE.

FAIS GAFFE QUAND MÊME ! NE PIOCHE PAS DANS LE TONNEAU NOIR MARQUÉ D'UNE CROIX ROUGE...

C'EST VRAI, J'AVAIS OUBLIÉ... HÉ HÉ !

NON... TU AS FAIM ET JE SAIS CE QUE TU AS ENVIE DE FAIRE, MAIS CE N'EST PAS LE MOMENT.

SPHINCTER CELL, NOTRE ROI, NOUS A CHARGÉS D'UNE MISSION...

RAPPORTONS-LUI CE QU'IL NOUS A DEMANDÉ ET SOYONS DISCRETS.

VOUS N'AVEZ PAS ÉTÉ BIEN LOIN APPAREMMENT !

LÀ, JE RIGOLE... VOUS FAITES MOINS LE FIER !

JE NE ME PLAINS PAS... JE SUIS LÀ OÙ JE DOIS ÊTRE.

SI C'EST POUR CETTE HISTOIRE DE PARCHEMIN, ON VOUS L'AURAIT RENDU.

C'ÉTAIT UNE QUESTION DE PRIORITÉ. IL NOUS LE FALLAIT.

C'ÉTAIT UN EMPRUNT POUR LA BONNE CAUSE !

LES MEILLEURES RAISONS N'EXCUSENT PAS VOS ACTES ! VOTRE ARGUMENTATION EST UN PEU FAIBLE, NON ?

JE SAIS, JE NE SUIS PAS CRÉDIBLE LÀ. DÉSOLÉ, C'EST PLUS FORT QUE MOI...

TOUT POURRI, TON PARCHEMIN !

ET C'EST PEU DE LE DIRE !

UN TORCHON INUTILISABLE, VOTRE SOI-DISANT PARCHEMIN.

C'EST LA DERNIÈRE FOIS QUE JE VOLE UN OUGINAK !

VOUS ! BANDE DE FOURBES ! **VOUS AVEZ DE LA CHANCE QU'UNE GRILLE NOUS SÉPARE !**

DITES-MOI, VOUS SEMBLEZ ANIMER PAR UNE MOTIVATION SANS FAILLE ?

OUI, SAUVER LOU !

INTÉRESSANT... D'AUTRES AURAIENT CHERCHÉ LA GLOIRE ET LA FORTUNE.

MON PLUS BEAU TRÉSOR, C'EST LOU ET JE LA SAUVERAI !

C'EST MOI QU'ELLE A APPELÉ, PAS TOI !

SI TU N'AVAIS PAS CONVAINCU LOU D'ALLER À LOMBROCORP POUR JE NE SAIS QUELLE PROMESSE D'AVENTURE HASARDEUSE, PEUT-ÊTRE QU'ELLE NE SERAIT PAS DANS LES ENNUIS !

L'ENNUI, C'EST TOI, MON AMI !

ALLONS ! L'UN DANS L'AUTRE EN AIDANT LOU, VOUS AIDEZ LOMBROCORP. CETTE RAISON NOBLE ME PERMET DE VOUS LIBÉRER.

LIBÉRER ?

GARDES ! OUVREZ-MOI.

C'EST MARRANT, KERUBIM VIENT DE SE SOUVENIR QUE VOUS AVIEZ UNE QUÊTE AVEC LOU...

IL A RETROUVÉ SA MÉMOIRE, LE FAQUIN ? QUEL BONHEUR, ON VA ENCORE AVOIR DROIT AUX HISTOIRES DU CHACHA MYTHOMANE.

MAIS... EUH... QUE ?!

VOTRE SEIGNEURIE.

JE COMPRENDS VOTRE STUPEUR. JE SUIS LE CONSEILLER STRATÉGIQUE DU ROI ABRAZIF. JE DEVAIS M'ASSURER QUE VOTRE PRÉSENCE ICI N'ÉTAIT PAS AU PROFIT DE NOTRE ENNEMI.

UN LEURRE, MON AMI.

MAIS... MAIS ?! NON ! COMMENT ?! ET LE PARCHEMIN ALORS ?

UN SIMPLE DISPOSITIF DESTINÉ À TROMPER.

CE PARCHEMIN N'AVAIT RIEN DE MAGIQUE MAIS VOUS L'IGNORIEZ. EN ARRIVANT À LE SUBTILISER, VOUS AVEZ PROUVÉ VOTRE QUALITÉ D'AVENTURIER.

J'EN SUIS DE MOITIÉ, JE VOUS RAPPELLE !

DEMAIN, VOUS SEREZ PRÉSENTÉS AU ROI ABRAZIF. PROFITEZ DU GÎTE ET DU COUVERT.

EFFECTIVEMENT. MAIS CE QUI M'IMPORTE AUJOURD'HUI C'EST QUE VOS "MOITIÉS" DE BRAVOURE SOIENT RÉUNIES POUR UN MÊME COMBAT.

PFF...
DANS QUEL PÉTRIN
NOUS SOMMES-NOUS
ENCORE JETÉS ?

PSST ?
INDIE !
TU DORS ?

OH !
TU DORS ?

INDIE !
NON !!

NON,
CE N'EST PAS
POSSIBLE !

ON
N'AURAIT
JAMAIS DÛ TE
SUIVRE.

AAAH !
UN CAUCHEMAR
RIEN QU'UN
CAUCHEMAR...

LA PRISONNIÈRE A DIT VRAI : UN DÉNOMMÉ KERUBIM AINSI QUE SES AMIS SONT ACTUELLEMENT AU CHÂTEAU DE LOMBROCORP.

NOUS AVONS RAPPORTÉ CECI POUR PREUVE.

KERUBIM ! IL EST VENU POUR NOUS !

TRÈS BIEN KRR... TRÈS, TRÈS BIEN...

QUEL ENTHOUSIASME KRR... TOUT À COUP ! SOYEZ CERTAINS QU'IL REGRETTERA D'AVOIR EU L'IDÉE STUPIDE KRR... DE VOUS SAUVER.

VOUS NE SAVEZ MÊME PAS À QUI VOUS AVEZ AFFAIRE. C'EST UN CORIACE, KERUBIM !

VRAIMENT ? ALORS VOUS, LE SACRIEUR, ALLEZ LUI TRANSMETTRE UN MESSAGE. KRR...

TCHLMP

SHHHAK

KRAD JITSU !

DÉPOSEZ CE MESSAGE À ABRAZIF. QU'ON EN FINISSE ! KRR... KRR...

13

MES CONSEILLERS ET MOI-MÊME PENSONS QUE SEUL UN ECAFLIP, DE PAR SA NATURE FÉLIDÉE, DEVRAIT ARRIVER À BATTRE LE ROI DES RATS.

OUI, MAIS... IL FAUT COMBATTRE SON ARMÉE AVANT DE L'ATTEINDRE.

L'IDÉE SERAIT DE LE PIÉGER.

C'EST-À-DIRE ? MIAM... MMF...

C'EST ASSEZ SIMPLE EN FAIT. NOUS ALLONS CONDUIRE UN CHARIOT REMPLI DE VICTUAILLES SOUS BONNE ESCORTE EN PASSANT À PROXIMITÉ DES DOUVES. UN TEL APPÂT NE MANQUERA PAS D'ATTIRER QUELQUES CAPÉS DE L'ARMÉE DES RATS QUI TENTERONT UNE EMBUSCADE.

OUI, MAIS BON, S'ILS ARRIVENT À NOUS VOLER CE PRÉCIEUX CHARGEMENT, EN QUOI CELA NOUS AIDERA À COMBATTRE CES MONSTRES ?

EH BIEN, PARMI LES VICTUAILLES SERA CACHÉ UN TONNEAU PLEIN DE POMMES EMPOISONNÉES.

NOS INFORMATEURS NOUS ONT RÉVÉLÉ QUE LES FRUITS SONT SYSTÉMATIQUEMENT RÉSERVÉS À L'ÉLITE DES RATS. L'ÉLIMINATION DES GÉNÉRAUX PROVOQUERA UNE PANIQUE.

UNE PANIQUE **GÉNÉRALE**, MON CAPITAINE !

C'ÉTAIT DRÔLE POURTANT...

EXCELLENT PLAN ! AVANT QUE L'ARMÉE DES RATS NE REMPLACE SON ÉLITE, NOUS POURRONS TENTER UNE PERCÉE ET DÉLIVRER LOU !

UNE PERCÉE NE MARCHERA PAS. NOUS AVONS DÉJÀ ESSAYÉ. ET RIEN NE NOUS PERMETTRA DE SAVOIR QUAND LES OFFICIERS AURONT ABSORBÉ LE POISON.

J'AI UNE MEILLEURE IDÉE.

INDIE, CROCOSEC, KERUBIM AINSI QUE LE MAGE SERONT CACHÉS DANS UN FAUX PLANCHER DU CHARIOT. LES RATS VONT NOUS AMENER AU PLUS PROCHE DE LEUR ROI.

NOUS ATTENDRONS QU'ILS MANGENT LE POISON ET NOUS LES PRENDRONS PAR SURPRISE !

OUIII, MIAM... HI HI ! DU POISON POUR LES RATS, QUELLE BONNE IDÉE ! LES RATS EMPOISONNÉS DEVIENNENT TOUT SEC... C'EST TRÈS DRÔLE !

SEIGNEUR ! SEIGNEUR ! UN MESSAGE URGENT.

ON A RETROUVÉ CE PAUVRE SACRIEUR À L'ENTRÉE DU SOUTERRAIN.

QUELQUE CHOSE DÉPASSE DE SA BOUCHE ? UN PARCHEMIN.

"VOYEZ CE QUI VOUS ATTEND SI VOUS NE RESPECTEZ PAS NOTRE ACCORD."

DÉLIRE ET CHARABIA ! IL RIRA MOINS QUAND IL SERA DEVENU TOUT SEC ET DESSÉCHÉ !

QU'ATTENDEZ-VOUS POUR PASSER À L'ACTION, BANDE DE BWORKS !

BANG

BLAM

IL Y A UN DESSIN AU DOS DU MESSAGE.

QUAND-TU-VEUX L'ECAFLIP !

MES DÉS ! COMMENT EST-CE POSSIBLE ?

LES RATS SONT DOUÉS POUR L'INFILTRATION. IL NOUS MET AU DÉFI.

J'ADORE CETTE ODEUR QUI PRÉCÈDE LA BATAILLE. KRR... CE MUSC SI CARACTÉRISTIQUE DE LA PEUR ET DE LA HAINE.

BIENTÔT, NOUS FRANCHIRONS LE SEUIL DE LA NUIT ET ENFIN LE PEUPLE DE L'OBSCURITÉ AURA SON ROYAUME À L'ÉGAL DES AUTRES ROYAUMES. KRRK !

UNE GUERRE NE LAISS[E] QUE DES VAINCUS. C'EST [UNE] ILLUSION DE CROIRE QU['UN] VAINQUEUR SORTIRA D['UN] BAIN DE SANG.

LA DESTRUCTION FAVORISE LA CRÉATION. KRR... L'ORDRE N'AMÈNE QUE L'ENNUI ET LA LASSITUDE ALORS QUE SORTIE DU CHAOS, LA VIE TROUVE TOUJOURS SA VOIE. KRR...

POURQUOI LA DAME EST PRISONNIÈRE ?

??

ALLONS, ALLONS, KRR... QU'EST-CE QUE TU FAIS LÀ ?

J'AI FAIM.

MAIS OÙ EST TA MAMAN ?

ELLE DORT... ELLE DORT DEPUIS TROIS LUNES. ELLE NE VEUT PLUS SE RÉVEILLER ET ELLE EST TOUTE FROIDE.

OCCUPEZ-VOUS DE LUI. DONNEZ-LUI DES VÊTEMENTS CHAUDS KRR... ET UN PEU DE NOURRITURE. KRRR !

DES VÊTEMENTS OUI, MAIS POUR LA NOURRITURE ÇA DEVIENT DIFFICILE...

VOILÀ UNE RAISON SUFFISANTE POUR VOUS ? KRR... QUE LA FAMINE ME BRÛLE LES ENTRAILLES EST UNE CHOSE QUE JE PEUX KRR... ACCEPTER, MAIS PAS QUE MON PEUPLE SE MEURE. JAMAIS ! KRR...

ÉCARTEZ-VOUS ! PLACE PLACE !

À MANGER S'IL VOUS PLAÎT.

QUAND JE PENSE À TOUTE CETTE NOURRITURE SACRIFIÉE POUR DES RATS... PFF !

C'ÉTAIT NÉCESSAIRE, SOLDAT... ESSAYEZ DE DONNER LE CHANGE QUAND LES RATS ATTAQUERONT. IL NE FAUDRAIT PAS QU'ILS AIENT LA VICTOIRE TROP FACILE.

ON NE DOIT PAS ÉVEILLER LEURS SOUPÇONS.

VRMM
BLRMM
BLRMM

FFFIIIIIITCH FIIIIITCCH !

À L'ATTAQUE

PLUS AUCUN BRUIT DEPUIS PAS MAL DE TEMPS, ON DEVRAIT TENTER UNE SORTIE.

OUI, ON COMMENCE À ÉTOUFFER ICI.

ATTENDEZ ! J'AI UNE IDÉE.

MMF ?

TIENS, COUVRE-TOI AVEC CETTE CAPE. TU AURAS L'APPARENCE D'UN RAT CAILLE DE LA GARDE.

EUH, JE SAIS PAS SI C'EST UNE BONNE IDÉE...

KERUBIM A RAISON : AVEC CE DÉGUISEMENT, TU POURRAS APPROCHER LE CAMPEMENT ET VOIR LES OFFICIERS DE L'ARMÉE DES RATS.

N'OUBLIE PAS QUE TU AS UN VRAI POUVOIR. L'ILLUSION EST PARFAITE TANT QUE TU PORTES SUR TOI UN OBJET APPARTENANT À QUELQU'UN D'AUTRE...

HI HI ! ARRÊTEZ, VOUS ALLEZ ME FAIRE DEVENIR MARRON !

VOILÀ ! ÇA LE FAIT, NON ?

ÉPATANT ! ENCORE QUE QUESTION PROPORTIONS, TU FAIS UN PEU GROS POUR UN RAT.

C'EST UN POUVOIR DE MIMÉTISME MAIS IL DOIT LE TRAVAILLER POUR L'OPTIMISER. NOUS LE VOYONS EN RAT CAR IL A ENFILÉ UNE CAPE DE RAT CAILLE.

TANT QU'IL PORTERA CELLE-CI, LES RATS N'Y VERRONT QUE DU RAT ! HÉ HÉ !

J'ESPÈRE QU'IL EST FIABLE VOTRE COPAIN...

IL DONNERA LE SIGNAL QUAND LES OFFICIERS AURONT MANGÉ LES POMMES EMPOISONNÉES.

JE SUIS UN RAT, JE SUIS UN RAT.

EH TOI, LE GROS ! AMÈNE-TOI ICI.

APPROCHE UN PEU.

FICHTRE, IL EST BIEN GROS CE RAT CAILLE !

MALGRÉ LA RESTRICTION, ON ARRIVE À AVOIR DES GARDES AUSSI DODUS ?!

JE SUIS COMME ÇA DEPUIS TOUT PETIT. UN P'TIT GROS DEVENU GRAND, HÉ HÉ...

HAHAHA

DIS-MOI, AIMES-TU LES POMMES ?

ON EN A REÇU UN PLEIN TONNEAU. DE BELLES POMMES BIEN JUTEUSES. TU DOIS AIMER ÇA TOI, LE GROS !

OUI... HÉ HÉ... J'ADORE !

VRAIMENT ? INCROYABLE !

HAHAHAH

VOYONS JUSQU'À QUEL POINT TU LES AIMES...

ON VA SE RAPPROCHER. JE DÉLIVRERAI LOU QUAND CROCOSEC FERA SON SIGNAL.

JE VAIS M'OCCUPER DE SPHINCTER CELL. JE SUIS CELUI QUI POSSÈDE LE PLUS DE CAPACITÉS POUR LE BATTRE.

JE VOUS COUVRIRAI.

MOI, JE TAPERAI DANS LE TAS.

S'CUSEZ-MOI ?

JE ME SUIS ASSOUPI ET JE NE RETROUVE PLUS MA CAPE... ?

HEIN ?

RETOURNE DORMIR, TOI ! T'ES BIEN PLUS DOUÉ POUR ÇA QUE POUR LE RESTE.

C'EST BIEN POUR CELA QU'ON VA S'ATTAQUER AUX OFFICIERS. LES RATS SONT INCAPABLES D'INITIATIVE SANS LEURS CHEFS.

OUF ! HEUREUSEMENT QU'IL N'A PAS DONNÉ L'ALERTE, CELUI-LÀ...

VOUS LES CONNAISSEZ BIEN, VOS ENNEMIS ! D'AILLEURS, POURQUOI ONT-ILS ENVAHI LOMBROCORP ? C'EST VRAI, LE MONDE DES DOUZE EST VASTE, ALORS POURQUOI ICI ET MAINTENANT ?

CE N'EST PAS À UN SOLDAT DE DONNER SON OPINION SUR LE ROYAUME. MAINTENANT, SILENCE ! ON VA SE FAIRE REPÉRER.

TU PEUX M'EXPLIQUER CE QUI SE PASSE ICI ?

EUH ? HUUUUUUUUU !

YOUHOUUU ! LE SIGNAL ! LE SIGNAL !

??

C'EST MAINTENANT LE SIGNAL ! YOUHOU !

HÉ ! TU AS PRIS MA CAPE, VOLEUR !

QU'EST-CE QUE... ?

BLWG

MAUVAIS JOUR POUR TOI, LE RAT !

IL FAUT TROUVER SPHINCTER CELL. KERUBIM, PRENDS LES CLEFS SUR CET OFFICIER ET LIBÈRE LOU.

CELUI QUI M'A VOLÉ MES DÉS VA AVOIR DE SÉRIEUX ENNUIS !

FAITES AU MIEUX POUR ÉTOURNER L'ATTENTION DE SPHINCTER CELL. IL ME FAUT UN PEU DE TEMPS POUR LIBÉRER LOU.

C'EST ÇA, NOUS, ON SE BAT ET TOI, TU FAIS LA COUR À TA BELLE ?!

MOI AUSSI JE VAIS FAIRE DIVERSION. JE VAIS... ME CACHER... VOILÀ... DERRIÈRE CE TONNEAU DE POMMES.

C'EST UNE ATTAQUE ! NOS OFFICIERS SONT TOUS MORTS !

HIHHHIII !

FUYEZ, FUYEZ !

KRRK... LA PANIQUE ! MES RATS VONT SE DISPERSER DANS LES SOUTERRAINS. BIEN JOUÉ, LOMBROCORP ! KRR... J'AVAIS SOUS-ESTIMÉ LEURS CAPACITÉS.

HOLÀ LE MARAUD ! IL EST TEMPS DE RENDRE TES ARMES.

VOTRE DÉFAITE EST CONSOMMÉE, SOYEZ FAIR-PLAY POUR UNE FOIS.

JE SUIS LE MAÎTRE DU KRAD JITSU. KRRK... ALORS ARRÊTE DE ME JOUER DU PIPEAU. LES JOUEURS DE FLÛTE, ÇA ME REND KRRR... NERVEUX.

NON ? SÉRIEUX, VOUS ÊTES AU TOP NIVEAU LÀ ? JE SUIS... KKRRRK... DÉÇU !

ALLEZ-VOUS-EN, BANDE DE RATS !

C'EST ÇA, TIREZ-VOUS !

MAINTENANT QUE LOU EST LIBRE, IL FAUT PARTIR. SPHINCTER CELL N'EST PLUS RIEN SANS SON ARMÉE.

KÉKÉ, TU ES VENU ME CHERCHER, TU NE M'AS PAS OUBLIÉE...

DISONS QUE MA MÉMOIRE N'EST PAS ENCORE TOTALEMENT REVENUE MAIS TOI, TU ES TOUJOURS DANS MON CŒUR.

SPHINCTER CELL A DISPARU APRÈS LA DERNIÈRE ATTAQUE.

IL UTILISE LES OMBRES ET LA NOIRCEUR POUR DISPARAÎTRE À VOLONTÉ.

BIEN, TOUT LE MONDE EST SAUF, C'EST DÉJÀ UNE BONNE CHOSE. ON RENTRE AU CHÂTEAU.

SANS MOI ! IL M'A DÉROBÉ MES DÉS. JE NE PARTIRAI PAS SANS LES AVOIR RÉCUPÉRÉS.

RÉFLÉCHIS, KERUBIM, C'EST TROP DANGEREUX !

RÉFLÉCHIR, C'EST DÉJÀ RENONCER !

SPHINCTER CELL, JE SUIS LÀ !

ALLONS-Y. LES RATS POURRAIENT CONTRE-ATTAQUER.

ÇA M'ENNUIE DE LAISSER KERUBIM SEUL...

IL FAIT SON KÉKÉ, MAIS C'EST BON SIGNE... IL EST EN TRAIN DE REDEVENIR LE KERUBIM QUE JE CONNAIS.

SANS LEURS OFFICIERS, L'ARMÉE DES RATS EST IMPUISSANTE, ALORS ÉVITONS LES PROVOCATIONS.

VOUS SENTEZ TOUS CES YEUX SUR NOUS ?

S'ILS APPROCHENT, JE LES BOMBARDE DE POMMES, MOI !

ALORS SPHINCTER CELL ? TU N'AS PAS LES NOIX POUR VENIR PRENDRE UNE RACLÉE ?

??

TCHOC !

OUTCH !

BANDE DE LÂCHES !

OOHH !

TON UNIVERS KRR... VIENT DE S'ÉCROULER ET TU TE DEMANDES POURQUOI ?

KKRR... CROIS-TU QUE JE ME SUIS INTÉRESSÉ AU ROYAUME DE LOMBROCORP KRR... COMME ÇA, SANS RAISON ? BIEN SÛR QUE NON !

C'EST LE ROI LUI-MÊME QUI EST VENU ME CHERCHER DANS LES KRR... BAS-FONDS. BIEN DÉCIDÉ À ME PROPOSER KRR... UN ARRANGEMENT.

LES RATS DEVAIENT DÉTRUIRE LES RÉCOLTES ET FAIRE EN SORTE QUE LA PÉNURIE PERSISTE...

ENSUITE, NOUS DEVIONS RÔDER DANS LES ÉGOUTS DU ROYAUME POUR CONTRÔLER LES STOCKS ET PROVOQUER UNE FAMINE.

NAÏF ! KRR... MAIS BIEN SÛR QUE CELA A UNE RAISON D'ÊTRE.

ÇA N'A AUCUN SENS...

QUAND UN PEUPLE MEURT DE FAIM KRR... IL N'A PLUS QU'UNE ENVIE : SURVIVRE. KRR... TROP FAIBLE POUR SE RÉVOLTER KRR... TROP DÉSESPÉRÉ POUR ENVISAGER UN AUTRE AVENIR.

QU'AVIEZ-VOUS À Y GAGNER ?

C'EST ABERRANT ! JAMAIS UN ROI NE LAISSERAIT SON PEUPLE MOURIR DE FAIM POUR ASSEOIR SON POUVOIR.

UN ROYAUME ! ABRAZIF NOUS LAISSAIT LES TERRITOIRES DU NORD ET LES SOUTERRAINS DE LOMBROCORP.

C'EST JUSTE. KRR...
MAIS LA FOLIE DE
CERTAINS PEUT LES
DÉPASSER. KRRK...
JE N'ALLAIS PAS LAISSER
PASSER L'OPPORTUNITÉ
DE SAUVER MON PEUPLE.

À LA SURFACE, VOUS N'AVEZ AUCUNE
IDÉE KRR... DE NOTRE SORT. REJETÉS,
MALTRAITÉS, EMPOISONNÉS. AVEZ-VOUS
PENSÉ UNE SECONDE À NOUS AUTREMENT
QUE COMME DES NUISIBLES ? KRR...
NOUS AUSSI, NOUS AVONS DES ENFANTS,
UNE FAMILLE KRRR... ET DES AMIS
À PROTÉGER.

MAIS VOUS AVEZ
FAIT UNE SACRÉE
ERREUR DE
JUGEMENT KRR...
UNE ERREUR...

MORTELLE !

ALORS
VOILÀ, C'EST
ÇA, LA FIN.

IL ÉTAIT
PRÉVU QU'ON
SE REVERRAIT.
EH BIEN, NOUS
Y VOILÀ !

JE VAIS TE DIRE UN TRUC PARADOXAL : NE COMPTE PAS UNIQUEMENT SUR LA CHANCE. C'EST VRAI, LA CHANCE, ON LA PROVOQUE MAIS EN CONTREPARTIE, PARFOIS ELLE ATTIRE LA POISSE.

JE N'AI PLUS MAL, PLUS DE BLESSURE ET JE... JE ME SOUVIENS DE TOUT MAINTENANT.

OUAIS, ÇA, CE N'EST PAS DE LA CHANCE, C'EST MOI ! JE SUIS UN DIEU ET J'AI QUAND MÊME QUELQUES POUVOIRS. DU GENRE QUI PEUVENT REMPLIR UNE TIRELIRE OU SAUVER UNE VIE.

MAIS ENFIN, N'ABUSE PAS TROP ! ET N'OUBLIE PAS, LES APPARENCES SONT TROMPEUSES. ABRAZIF DANS LES ÉGOUTS NÉGOCIANT UN TRAITÉ AVEC UN RAT ? SÉRIEUX, TU LE CROIS, ÇA ? MOI, JE LE SENS PAS.

MON MAÎTRE IGNORANT SI VOUS AVEZ LA CAPACITÉ DE LIRE, VOICI SON MESSAGE... HUM !

HEIN ?

... "JEUNE ECAFLIP, POURQUOI IRAIS-JE ME BATTRE AVEC..."

DÉGAGE DE LÀ !

IIIKKK ?

MAIS ? JE N'AI PAS TERMINÉ MON MESSAGE, MOI !

JE ME SOUVIENS DE TOUT MAINTENANT !

VOUS SENTEZ TOUS CES YEUX SUR NOUS ?

SANS LEURS OFFICIERS, L'ARMÉE DES RATS EST IMPUISSANTE. ALORS ÉVITONS LES PROVOCATIONS.

S'ILS APPROCHENT, JE LES BOMBARDE DE POMMES, MOI !

ARRÊTEZ-VOUS !

HEIN ?!

HUM... C'EST UN PEU COMPLIQUÉ. JE N'AVAIS PAS VRAIMENT PRÉVU DE TE REVOIR AUSSI VITE. J'T'AIME BIEN PETIT, MAIS LÀ, TU VAS DEVOIR FAIRE UN EFFORT.

SUIS-JE... MORT ?

SI TU L'ÉTAIS, JE NE SERAIS PAS LÀ À TE PARLER.

JE VAIS TE CONFIER UNE INFORMATION CAPITALE, ELLE TE SERA UTILE SI TU SURVIS...

CHHTMM CHTTT CHHH...

TE LE DIRE, C'EST UN PEU DE LA TRICHE... MAIS JE NE VOUDRAIS PAS QUE TU MEURES IDIOT.

JE NE VEUX PAS MOURIR !

C'EST SOUVENT CE QUE DISENT LES VIVANTS...

LE HASARD ET LA CHANCE VONT DÉCIDER DE TON SORT. JE NE PEUX RIEN FAIRE DE PLUS.

RIEN, SINON CROISER LES DOIGTS.

FAITES VENIR LES MEILLEURS ENIRIPSAS DU ROYAUME !

À VOS ORDRES, CAPITAINE.

JE REFUSE QU'IL MEURE !

ALORS, COMMENT SE PORTE NOTRE HÉROS ?

IL N'A TOUJOURS PAS REPRIS CONNAISSANCE.

OUAIS, MAIS ÇA NE L'EMPÊCHE PAS DE PARLER DANS SON SOMMEIL.

IL PARLE... ET RESTE ENDORMI, LE DRÔLE D'ANIMAL !

PARLONS-EN ! LES RATS ONT PEUT-ÊTRE PLIÉ BAGAGE MAIS LA FAMINE PERSISTE. IL SERAIT TEMPS DE METTRE UN PEU D'ORDRE ET DE RENVOYER LES PAYSANS TRAVAILLER AUX CHAMPS.

C'EST UN ECAFLIP ET IL EST DANS CET ÉTAT, PARCE QU'IL A VOULU VOUS SAUVER !

ET DE QUOI PARLE DONC VOTRE KERUBIM ?

D'UNE TRAHISON DE LA PLUS HAUTE IMPORTANCE.

ALLONS DONC ? EXPLIQUEZ-NOUS !

IL VOUS ACCUSE, VOUS, LE ROI ABRAZIF D'AVOIR ORGANISÉ CETTE FAMINE POUR ASSEOIR VOTRE POUVOIR SUR LE PEUPLE !

COMMENT ?! CE PETIT ECAFLIP QUI DIVAGUE OSE PORTER UNE ACCUSATION CONTRE SON ROI !

NOTRE ROI ? VOUS RÊVEZ... NOUS AVONS ACCEPTÉ UNE MISSION MAIS PAS L'ALLÉGEANCE À VOTRE ROYAUME.

LA DONZELLE APPRENDRA QUE TOUT CE QUI VIT ET RESPIRE DANS CE ROYAUME EST SOUMIS À MON BON VOULOIR. MES PRISONS REGORGENT DE FAQUINS QUI PENSAIENT À TORT NE PAS M'APPARTENIR.

OUI, LA SURFACE DU ROYAUME VOUS APPARTIENT ET LES SOUS-SOLS ÉTAIENT AUX RATS, C'EST ÇA ?

ALLONS VOIR CE KERUBIM CRÉPIN IMMÉDIATEMENT !

COMMENT ?!

ON NE PEUT PAS DIRE QU'IL EST MORT MAIS IL N'EST PAS VRAIMENT VIVANT. IL S'ACCROCHE. PARFOIS, IL PARLE.

C'EST CE QUE JE DISAIS, IL DIVAGUE.

ARRÊTEZ-LES ! QU'ILS AILLENT MOISIR EN PRISON.

MAIS ? ILS ONT SAUVÉ LE ROYAUME ! VOTRE PEUPLE NE COMPRENDRA PAS.

UN ORDRE NE SE DISCUTE PAS !

GARDE ! VEUILLEZ ACCOMPAGNER CES HOMMES EN PRISON. S'ILS REFUSENT, TUEZ-LES ! ET N'OUBLIEZ PAS L'ECAFLIP, IL PEUT BIEN MOURIR AVEC SES AMIS.

PAS LA PRISON, PITIÉ, C'EST HUMIDE ET FROID !

BLIMP !

UNE POMME ?! CE VOLEUR CACHAIT UNE POMME !!

J'AI UN AVANTAGE SUR TOI. JE ME SOUVIENS DE TOUT !

OUI, MAIS TU NE REVIENDRAS PLUS JAMAIS À LA RÉALITÉ !

ILLUSION... TU N'ES PAS LÀ. TOUT CELA N'EST QU'UNE APPARENCE.

J'AI LE POUVOIR DE TE GARDER ICI.

C'EST SOUS CETTE FORME QUE TU AS NÉGOCIÉ L'AVENIR DE LOMBROCORP.

LA VÉRITÉ, C'EST LE SENS QUE L'ON VEUT DONNER AUX ÉVÉNEMENTS QUAND CELA NOUS ARRANGE.

TU N'ES QU'UNE ILLUSION, ALORS DISPARAÎS !

SHLIJIIING

VROOMME

JE SAIS QUI TU ES !

TU PERDS TON TEMPS, PETIT. SI TU VEUX VIVRE, TU DEVRAS ME BATTRE MAIS TU N'Y ARRIVERAS PAS. AH AH AH !

OUI, C'EST ÉVIDENT... TU N'ES QU'UN MIRAGE. ECAFLIP M'A SOUFFLÉ À L'OREILLE TA VÉRITABLE IDENTITÉ.

POUR EFFACER UNE ILLUSION, IL ME SUFFIT DE FERMER LES YEUX.

QUAND JE LES OUVRIRAI À NOUVEAU, TU AURAS DISPARU...

ET JE VIVRAI.

TOUT N'EST QU'APPARENCE... SPHINCTER CELL S'EST SOUVENU DE MA SIGNATURE ODORANTE. LES RATS ONT LA PARTICULARITÉ DE RECONNAÎTRE LES ODEURS.

MA FACULTÉ À ME FAIRE PASSER POUR ABRAZIF M'A SERVI À APPROCHER SPHINCTER CELL. NOTRE TRAITÉ AVAIT DU SENS, JE POUVAIS GOUVERNER EN MANIPULANT CE ROI IMBÉCILE. SANS TA TÉMÉRITÉ, J'AURAIS RÉUSSI !

BIEN JOUÉ... MAIS TA VICTOIRE N'EST QU'UNE RÊVERIE.

JE VIS !

44

OOOH MA TÊTE !

IL EST VIVANT !

L'UN PART QUAND L'AUTRE ARRIVE ! HUM... ÉTRANGETÉ DE LA VIE.

OÙ SUIS-JE ?

TU ES AU CHÂTEAU ET NOUS AVONS BATTU LES RATS. NE CRAINS RIEN.

VOUS AVEZ EMPOISONNÉ LE ROI. J'ORDONNE VOTRE MISE À L'ARRÊT ET LA SENTENCE DE MORT SERA IMMÉDIATEMENT PRONONCÉE SANS APPEL !

MES HOMMES NE VOUS OBÉIRONT PAS.

VOUS SAVIEZ TOUT COMME MOI QUE CETTE POMME ÉTAIT EMPOISONNÉE. NOUS LES AVONS UTILISÉES CONTRE LES RATS.

J'AVOUE AVOIR HÉSITÉ À PRÉVENIR NOTRE ROI MAIS VOUS, VOUS N'AVEZ ABSOLUMENT PAS BOUGÉ ! SINON POUR VOUS INTERPOSER QUAND J'AI ESSAYÉ DE L'EN EMPÊCHER, LAISSANT CE GOINFRE SE TUER À CAUSE DE SA GOURMANDISE.

VOUS ÊTES AUX ARRÊTS ! DÉSORMAIS, LOMBROCORP SE PASSERA DE SES DICTATEURS ET DE SES MAUVAIS CONSEILLERS.

MOI, AMBROISE DÉFOURAILLE, CAPITAINE DE LA GARDE DE LOMBROCORP, JE NOMME KERUBIM CRÉPIN, ICI PRÉSENT, GRAND CHEVALIER DE LA COURONNE. ET SES AMIS, INDIE DELAGRANDAVENTURE, LOU ET CROCOSEC, OFFICIERS DE L'ORDRE DU MIROIR DORÉ.

J'AI RÉCUPÉRÉ CECI DANS LES GRAVATS LORSQUE VOUS ÉTIEZ ENSEVELI.

MES DÉS ! MA CHANCE !

VIVE KERUBIM ! VIVE AMBROISE !

VIVE AMBROISE ! NOTRE NOUVEAU ROI !

AMBROISE, NOTRE NOUVEAU ROI !!

ET HOP, UN P'TIT COUP DE POUCE À LA CHANCE.

ÇA VA, KERUBIM ?

OUI, J'AI JUSTE CRU RECONNAÎTRE QUELQU'UN.

RIEN QU'UNE ILLUSION...

FIN

ÉRIC HÉRENGUELL + JULEN RIBAS 2013

LE SCÉNARIO

TOUT COMMENCE AVEC LE SCÉNARIO, L'EMBRYON DE L'HISTOIRE. J'ATTENDS PATIEMMENT QU'ÉRIC ME L'ENVOIE PAR E-MAIL ET JE L'IMPRIME DÈS RÉCEPTION. C'EST PLUS PRATIQUE DE L'AVOIR EN VERSION PAPIER, AFIN DE POUVOIR LE LIRE N'IMPORTE OÙ.

L'HISTOIRE PREND FORME PETIT À PETIT DANS DES LIEUX TOUT À FAIT INATTENDUS... JE COMMENCE PAR LA VISUALISER DANS MON ESPRIT ET NE TOUCHE PAS AU CRAYON AVANT D'EN AVOIR UNE BONNE IDÉE GÉNÉRALE.

RECHERCHES DE PERSONNAGES

CETTE ÉTAPE PEUT ÊTRE FAITE AVANT OU APRÈS LE STORY-BOARD. L'ÉDITEUR M'ENVOIE LA DOCUMENTATION DE RÉFÉRENCE NÉCESSAIRE À LA CRÉATION, MAIS J'APPORTE TOUJOURS MA TOUCHE PERSONNELLE AUX PERSONNAGES. JE LES REPRODUIS ENSUITE EN PÂTE À MODELER AFIN DE ME FAMILIARISER AVEC LES NOUVEAUX DESIGNS.

STORY-BOARD

C'EST ICI QUE L'ON FABRIQUE L'HISTOIRE ET QUE JE M'AMUSE LE PLUS. LE SCÉNARIO D'ÉRIC COMMENCE À PRENDRE FORME. SUR UNE FEUILLE A3, JE DESSINE DES CASES DE TAILLE IDENTIQUE. CHAQUE SÉQUENCE EST AU MÊME FORMAT, C'EST-À-DIRE DES CROQUIS PRESQUE ILLISIBLES QUE MOI SEUL PEUX COMPRENDRE.

APRÈS AVOIR STORYBOARDÉ TOUT L'ALBUM, JE M'ATTAQUE À LA MISE EN PAGES ET DÉCIDE DE LA TAILLE DES CASES SELON L'IMPORTANCE OU LE CÔTÉ SPECTACULAIRE DE LA SCÈNE.

DESSIN AU CRAYON

JE PRÉPARE LES PAGES EN SUIVANT LE GABARIT ET LES COTES QUE LA MAISON D'ÉDITION M'A ENVOYÉES, TOUT DÉPEND DU FORMAT DE PUBLICATION. J'AJOUTE LE TEXTE AVEC LA TYPOGRAPHIE FINALE AFIN DE GARDER L'ESPACE NÉCESSAIRE POUR LES BULLES. CETTE PARTIE EST UN PEU TECHNIQUE ET MONOTONE.

UNE FOIS LA PAGE DÉLIMITÉE, JE DESSINE SA STRUCTURE : JE TRACE LES LIGNES DE PERSPECTIVE ET J'ESQUISSE LES PERSONNAGES, SANS M'ATTARDER SUR LES DÉTAILS. DE CETTE MANIÈRE LES PERSONNAGES PARAISSENT PLUS VIVANTS ET LA PAGE PLUS LISIBLE (MAIS LES HÉROS RISQUENT DE NE PAS CORRESPONDRE AU MODÈLE). JE DESSINE DIRECTEMENT SUR TABLETTE CINTIQ. J'AIME BIEN DESSINER AVEC UNE BROSSE RONDE № 2 SANS AUCUNE SENSIBILITÉ SUR LE STYLET, IL GLISSE SUR LE PLASTIQUE ET JE DESSINE VITE. PERSONNELLEMENT, C'EST COMME ÇA QUE JE PRÉFÈRE LA PAGE : SANS FIORITURES ! ELLE NE SERA JAMAIS PLUS ANIMÉE QU'À CE MOMENT-LÀ. JE MONTRE ENSUITE MON TRAVAIL À ÉRIC ET À L'ÉDITEUR.

IMPRESSION AU FORMAT A3

J'IMPRIME LES DESSINS AU CRAYON AU FORMAT A3. J'Y JOINS UNE AUTRE FEUILLE DE MÊME TAILLE ET LES ATTACHE AVEC DES TROMBONES. À L'AIDE D'UNE TABLE LUMINEUSE FAITE MAISON (MERCI PAPA !), JE DÉCALQUE LES PAGES.

ENCRAGE

JE DÉCALQUE D'UN SEUL TRAIT. LE PRINCIPAL Y EST, MAIS IL LUI MANQUE ENCORE UN PEU DE VIE ET DE CORPS. C'EST POUR CELA QUE JE REPASSE APRÈS LES TRAITS EN ACCENTUANT CE QUE JE VEUX FAIRE RESSORTIR. J'Y AJOUTE AUSSI DES INFORMATIONS SUR LES JEUX DE LUMIÈRES.

NUMÉRISATION

J'AI UNE IMPRIMANTE MUSTEK A3 AVEC LAQUELLE JE NUMÉRISE LES PAGES. IL ARRIVE PARFOIS PENDANT LA SAISON FROIDE QUE LE SCANNER SOIT UN PEU FAINÉANT. J'IMAGINE QUE C'EST L'HUILE QUI PERMET À LA BARRE DE SE DÉPLACER QUI VIENT À MANQUER, CE QUI PEUT RENDRE DIFFICILE SON MOUVEMENT HORIZONTAL. JE LA MAINTIENS DONC AVEC LE PIED POUR QUE LE TREMBLEMENT N'AFFECTE PAS LA QUALITÉ DE LA NUMÉRISATION. QUELLE TECHNOLOGIE !

MISE EN COULEUR

POUR FINIR, JE CRÉE LES CALQUES POUR PEINDRE LES PLANCHES EN SUIVANT CET ORDRE :

1 - LE CIEL
2 - LE FOND
3 - LES OBJETS
4 - LES PERSONNAGES
5 - LES OMBRES
6 - LES LUMIÈRES
7 - LES ONOMATOPÉES
8 - LES BULLES
9 - LE CADRE
10 - LA MARGE
11 - LE TEXTE

EN FAIT, JE DIRAIS QUE JE COLORISE PLUS QUE JE NE PEINS. CELA CONSISTE À REMPLIR LES SURFACES AVEC DES COULEURS UNIES OU DES DÉGRADÉS. UNE FOIS COLORISÉE, IL NE ME RESTE PLUS QU'À ENVOYER LA BANDE DESSINÉE PAR E-MAIL POUR VALIDATION. PUIS APRÈS LES RETOUCHES (S'IL Y EN A), JE DÉPOSE LES PLANCHES HAUTE RÉSOLUTION SUR LE FTP D'ANKAMA.

C'EST UN MOMENT DIFFICILE CAR CONSIDÉRER SON TRAVAIL DE CRÉATION COMME ÉTANT ACHEVÉ EST COMPLIQUÉ. CELA DÉPEND DES CRITÈRES DE CHACUN AINSI QUE DES COMPLEXES ET LACUNES DU CRÉATEUR QUI, EST EN CONSTANT APPRENTISSAGE. IL NE RESTE PLUS QU'À RENDRE LE TRAVAIL ET ATTENDRE LE VERDICT !

ET APRÈS L'ATTENTE ARRIVE ENFIN LE BÉBÉ ! UNE JOIE TRÈS DIFFICILE À DÉCRIRE AVEC DES MOTS POUR UN DESSINATEUR !

VOUS VOULEZ VOIR D'AUTRES DE MES CHACRÉES AVENTURES ?

AVENTURE

ACTION

HUMOUR

AMOURRRR...

MAGIE !!!!

TOUJOURS PLUS D'ACTION

TOUT ÇA AVEC CLASSE EVIDEMMENT !

RETROUVEZ-MOI DANS

LA SÉRIE DOFUS : AUX TRÉSORS DE KERUBIM !

WWW.DOFUS-LA-SERIE.COM